MILTON PUBLIC LIBRARY

Les Trois Petits Cochons

raconté par **MARLÈNE JOBERT**

ÉDITIONS
ATLAS

MILTON PUBLIC LIBRARY

Éditions Glénat
Services éditoriaux et commerciaux :
31-33, rue Ernest-Renan
92130 ISSY-LES-MOULINEAUX

© Éditions Atlas, MMIII
© Éditions Glénat, pour l'adaptation, MMVIII
Tous droits réservés pour tous pays

Avec la participation de Marlène Jobert
Illustrations : atelier Philippe Harchy
Photo de couverture : Éric Robert/Corbis

Achevé d'imprimer en octobre 2008 en Italie par L.E.G.O.
Via dell'Industria, 2
36100 Vicenza
Italie
Dépôt légal : octobre 2008
ISBN : 978-2-7234-6255-6

Loi n° 49-956 du 16 juillet 1949 sur les publications destinées à la jeunesse.

Il était une fois trois petits cochons qui habitaient une jolie maison avec leur mère qu'ils adoraient. Malgré leurs caractères différents, les trois frères s'aimaient profondément. Et, qu'il pleuve ou qu'il fasse beau, dans leur cœur il faisait toujours chaud.

Le premier des trois frères était toujours de bonne humeur, il ne pensait qu'à s'amuser, qu'à faire des farces à ses frères ; il était le plus drôle, mais aussi le plus effronté.

Le deuxième était capable d'écouter chanter pendant des heures les oiseaux. Il connaissait le nom de toutes les fleurs. Il semblait toujours ailleurs, tant il était rêveur et distrait. Le troisième était de loin le plus raisonnable, le plus réfléchi, le plus consciencieux, mais il lui arrivait parfois de manquer d'humour, alors ses frères le taquinaient parce qu'ils le trouvaient un peu trop sérieux.

Mais le temps passe, et il arrive qu'un jour, à force de grandir, les enfants ne sont plus des enfants.

C'est ainsi qu'un matin maman cochon réunit ses trois fils pour leur parler :

- *Vous êtes devenus tellement grands et si vite que notre maison est maintenant trop petite. Il vous faut partir chacun de votre côté, pour construire votre maison,* dit-elle en retenant ses larmes. Les enfants étaient aussi très émus... mais que dire devant la logique des choses de la vie ! Que dire ?

Quelques jours plus tard, au lever du soleil, ce fut le moment douloureux des adieux. En les embrassant tendrement encore et encore, la maman dit pour la centième fois au moins :

- *N'oubliez pas qu'il ne faut jamais ouvrir la porte au grand méchant loup ! Jamais !*

Sinon, il vous mangerait ! Gare au loup, mes chers petits, gare au loup !

Et chacun de leur côté, dans la rosée du matin, nos trois petits cochons se choisirent un chemin.

Le premier, "l'effronté", qui ne pensait qu'à s'amuser, prit n'importe quel chemin, et s'égara en poursuivant toute la matinée un lapin. Il finit par arriver, tout essoufflé, dans une ferme. Il se vautra joyeusement dans une meule de paille ; le soleil vint alors lui chatouiller le museau, la brise lui caresser les oreilles, et, à l'odeur exquise de la paille, ses narines frémirent de plaisir.

Il se sentit vraiment bien, tellement bien qu'il décida de construire ici sa maison.

Il alla demander à un paysan qui travaillait tout près :

- *Elle est à vous cette paille, monsieur ?*
- *Ben ouais, mon gars ! Tu peux bien en prendre si tu veux.*

Le petit cochon ravi le remercia et en sifflotant fabriqua sa maison. Il eut fini en un rien de temps, alors il s'allongea, s'étira, et, avec délices, s'endormit. Pendant ce temps-là, dans la forêt à côté, une ombre mystérieuse et menaçante se profilait...

Le deuxième petit cochon, "le distrait", toujours aussi rêveur, choisit un chemin couvert de fleurs. Il passa la matinée à se composer de ravissants bouquets.

Vers midi, il admirait un petit escargot gris argent et, soudain, il se rappela qu'il avait promis à sa maman de construire sa maison. Il se demanda avec quoi et comment.

Et c'est en regardant une hirondelle faire son nid avec des brindilles qu'il eut une idée ; il interpella un bûcheron qui passait en portant un gros fagot de bois :

- *Monsieur ! Puis-je vous acheter votre fagot, il ferait bien mon affaire !*

- *Si tu le veux, je te le vends volontiers, et pour pas cher*, répondit le bûcheron.

Le petit cochon ravi choisit un champ de coquelicots, et au beau milieu y planta sa maison aussitôt. Elle fut finie au bout de deux heures. Elle était peut-être un peu bancale, mais si jolie et si originale, avec ses fenêtres en forme de cœur et toutes ses fleurs.

Il s'assit fièrement pour la contempler. Et en l'admirant, sans s'en rendre compte, il glissa doucement, tout doucement, dans un délicieux sommeil. Il rêva de cigales, d'escargots, d'étoiles et d'oiseaux, mais... pas d'ombre poilue aux grandes dents pointues rôdant dans la forêt, sûrement pas !

Le troisième petit cochon, "le sérieux", le plus sage, contrairement à ses deux frères, prit tout de suite le chemin du village. Il alla tout droit chez le maçon, acheta les meilleures briques, les meilleures pierres, ainsi que tout le matériel nécessaire.

Et c'est au bord d'une rivière qu'il choisit de construire sa maison. Ce fut très long et difficile, et il lui fallut un courage et une patience infinis.

Ce n'est qu'en toute fin de journée qu'il vit sa maison terminée. Elle ressemblait beaucoup à celle de sa mère. Au moment où le soleil disparaissait à l'horizon, épuisé de fatigue, il sombra dans le sommeil le plus profond.

Pendant ce temps, l'ombre mystérieuse et menaçante, aux dents longues et pointues, arrivait à la maison de "l'effronté", le premier petit cochon.

Craah, craah, craah, craah… Une énorme patte pleine de griffes gratta à la porte de "l'effronté" ; il fut réveillé en sursaut.
- *Ouvre !* hurla la voix terrible du grand méchant loup des forêts.

À l'expression cruelle de ses yeux, on pouvait deviner qu'il était affamé, prêt à dévorer. Le petit cochon, quoiqu'un peu impressionné, ne put s'empêcher de plaisanter :
- *Non, monsieur le loup, je n'ouvre pas à n'importe qui !*
- *N'importe qui !* hurla le loup. *Si tu n'ouvres pas à l'instant, petit jambonneau de misère, je souffle sur ton tas de paille et, en un quart de seconde, je le réduis en poussière.*

- Le tas de paille dont vous parlez, c'est ma maison, répondit le petit effronté.

- Ah ! Ah ! Ah ! Parce que tu appelles ça une maison ! Tu vas voir !
Le loup souffla "Pffutt...", et la fragile petite maison s'envola.

- Ha ! Ha ! Ce n'est pas pour rien qu'on m'appelle "ouragan" ! fit le loup en riant de toutes ses dents.

Le petit cochon frissonna. Et pendant que le monstre, très satisfait de lui, chantait victoire en se tapant sur le ventre, "l'effronté" eut heureusement le temps de s'échapper.

Il courut tout droit, les jambes complètement affolées, chez son frère "le distrait".

Craah, craah, craah... Plus affamé encore et toutes griffes dehors, le loup gratta à la porte de la jolie maison du distrait. Vexé par son premier échec, l'animal tremblait de rage.

- *Ouvrez !* hurla-t-il...

Les deux frères, dans les bras l'un de l'autre, étaient terrorisés. Pendant le grand silence qui suivit, ils entendirent leurs deux cœurs cogner de peur et l'estomac du loup gargouiller de faim.

- *Ouvrez ! Petits jambonneaux de misère ! Sinon, je souffle sur votre tas de bois et, en un quart de seconde, je le réduis en poussière !*

Le deuxième petit cochon était si effrayé qu'il répondit en bégayant :

- *Vous... vous... vous avez faim, je le co... com... comprends, mais j... jamais je ne laisserai entrer d... dans ma maison quelqu'un q... qui veut me manger co... comme un jambon !*

- *Ah ! Parce que tu appelles ça une maison ! Tu vas voir !*

Le loup souffla, et toutes les fleurs et toutes les branches de bois volèrent en éclats.

Et en riant de toutes ses dents, il lança :

- *Ah ! ah ! ah ! Ce n'est pas pour rien qu'on m'appelle "ouragan" !*

Pendant qu'il chantait victoire en se tapant sur le ventre, les deux petits cochons en profitèrent pour s'enfuir et aller se réfugier chez leur frère...

En ruminant une vengeance terrible avec des yeux qui lançaient des éclairs, le loup arriva à la maison du troisième petit cochon pour se faire claquer la porte au nez !

- *Ouvrez !* hurla-t-il en bavant de rage.

- *Ouvre toi-même puisqu'il paraît que tu es si fort,* répondit courageusement le sérieux petit cochon.

- *Tu me provoques, ridicule petit jambonneau de misère ?*
Alors que je vais souffler et réduire ton tas de cailloux en poussière !

Mais il fut très surpris de voir que son souffle légendaire n'avait, cette fois, que caressé les murs de pierres. Il regonfla sa poitrine et souffla alors comme un ouragan.

- *Pffutt !*

Mais la maison resta debout, bien debout. L'animal était sidéré. Il ramassa toutes ses forces et souffla encore et encore, tant et tant, et avec une telle violence qu'il en suffoqua, étouffa, cracha et toussa, toussa, toussa, si bien que plus rien enfin ne sortit de sa gueule.

La terrible bête féroce eut l'air soudain si pitoyable qu'à l'intérieur de la maison nos trois petits cochons ne purent s'empêcher de pouffer de rire.

Puis ils retournèrent à la fenêtre ; le loup avait disparu.
"L'effronté" et "le distrait" pensèrent qu'il était reparti dans la forêt.
- *Il est trop vexé, il ne reviendra plus,* dit le premier.
- *Ouf ! On est enfin débarrassés,* dit le deuxième.

Soudain, un curieux petit bruit sur le toit fit dire au troisième petit cochon :
- *Aidez-moi vite à remplir la marmite d'eau, et allumons le feu dans la cheminée, vite !* Aussitôt dit, aussitôt fait. Les trois frères se sentirent à nouveau en danger.

En effet, le loup, prêt à tout pour manger les tendres petits cochons, avait grimpé silencieusement sur le toit et s'apprêtait à descendre par la cheminée.

Ils entendirent bientôt une faible voix tout éraillée s'exclamer :
- *Ça y est, vous ne pourrez plus m'échapper maintenant, je vais me régaler, petits jambonneaux de... Plouf ! et ah !*

Une de ses pattes avait glissé et le loup tomba dans la marmite d'eau bouillante, les fesses en premier. Il se brûla si fort que du conduit de la cheminée il jaillit dans le ciel comme une fusée.

Et depuis ce soir-là, dans la région, on ne le revit plus jamais.

Après cette aventure, "l'effronté" et "le distrait" comprirent, bien sûr, qu'il fallait se donner du mal pour construire sa maison.

Alors, ils bâtirent la même que celle de leur frère, en briques et en pierres.

Leur très chère maman, qu'ils invitaient souvent, était très fière de ses trois petits cochons.

Fin